Dos amigos

Susan B. Anthony y Frederick Douglass

DE

Dean Robbins

ILUSTRADO POR

Sean Qualls

Y Selina Alko

SCHOLASTIC INC.

Nuestro agradecido reconocimiento a Mary Huth de la Casa y Museo Nacional Susan B. Anthony, por su astuta, generosa y meticulosa comprobación de datos.

Originally published in English as *Two Friends: Susan B. Anthony and Frederick Douglass*

Translated by Eida de la Vega

ISBN 978-1-338-06126-0

10 9 8 7 6 5 4 3 2   18 19 20

Printed in the U.S.A.   169
First Spanish printing 2016

Una nota de Sean y Selina

Para hacer las ilustraciones de *Dos amigos*, empezamos a investigar el periodo de tiempo en que Susan B. Anthony y Frederick Douglass se reunieron a tomar el té, así como las historias de cada uno que condujeron a esa tarde. Leímos libros y miramos muchas fotografías y descripciones de la ropa que se usaba en esa época. Dibujamos varios juegos de bocetos para lograr el tono y el escenario adecuados de la historia. Luego, con acrílico, collage y lápices de colores creamos unas páginas de técnicas mixtas y nos ayudamos el uno al otro a finalizar nuestras oraciones visuales cuando fue necesario. Al final, sentimos que habíamos logrado algo completamente nuevo: una integración de nuestros estilos, una colaboración verdadera.

Las ilustraciones se crearon usando técnicas mixtas: pintura (guache y acrílico), collage y lápices de colores en *bristol board*.

Para la tipografía se usó Hoefler Text Roman, Hoefler Bold Small Caps y Hoefler Italic Swash. Para la tipografía de *display* se usó Hoefler Black Italic Swash.

En la página 32: La fotografía de Susan B. Anthony fue cortesía de la Casa y Museo Nacional Susan B. Anthony, Rochester, Nueva York, susanbanthonyhouse.org • La foto de Frederick Douglass es de la colección de la Asociación Histórica Onondaga, 321 Montgomery Street, Syracuse, NY 13202

Dirección de arte y diseño del libro de Marijka Kostiw

A
MI FAMILIA
— D.R.

A
DOS AMIGOS ESPECIALES:
KATHERINE MARINUCCI
— S.A.
Y
WILLIAM DOUGLAS
— S.Q.

Nevaba en Rochester, Nueva York.
Por la calle Madison, un caballo tiraba
de un coche que no paraba de chirriar.

Susan B. Anthony
puso dos platillos, dos tazas y
dos pedazos de pastel en la mesa.

Frederick Douglass
llegó para tomar el té.

Susan encendió dos velas.

Los amigos se sentaron junto a
la chimenea en la sala de Susan.

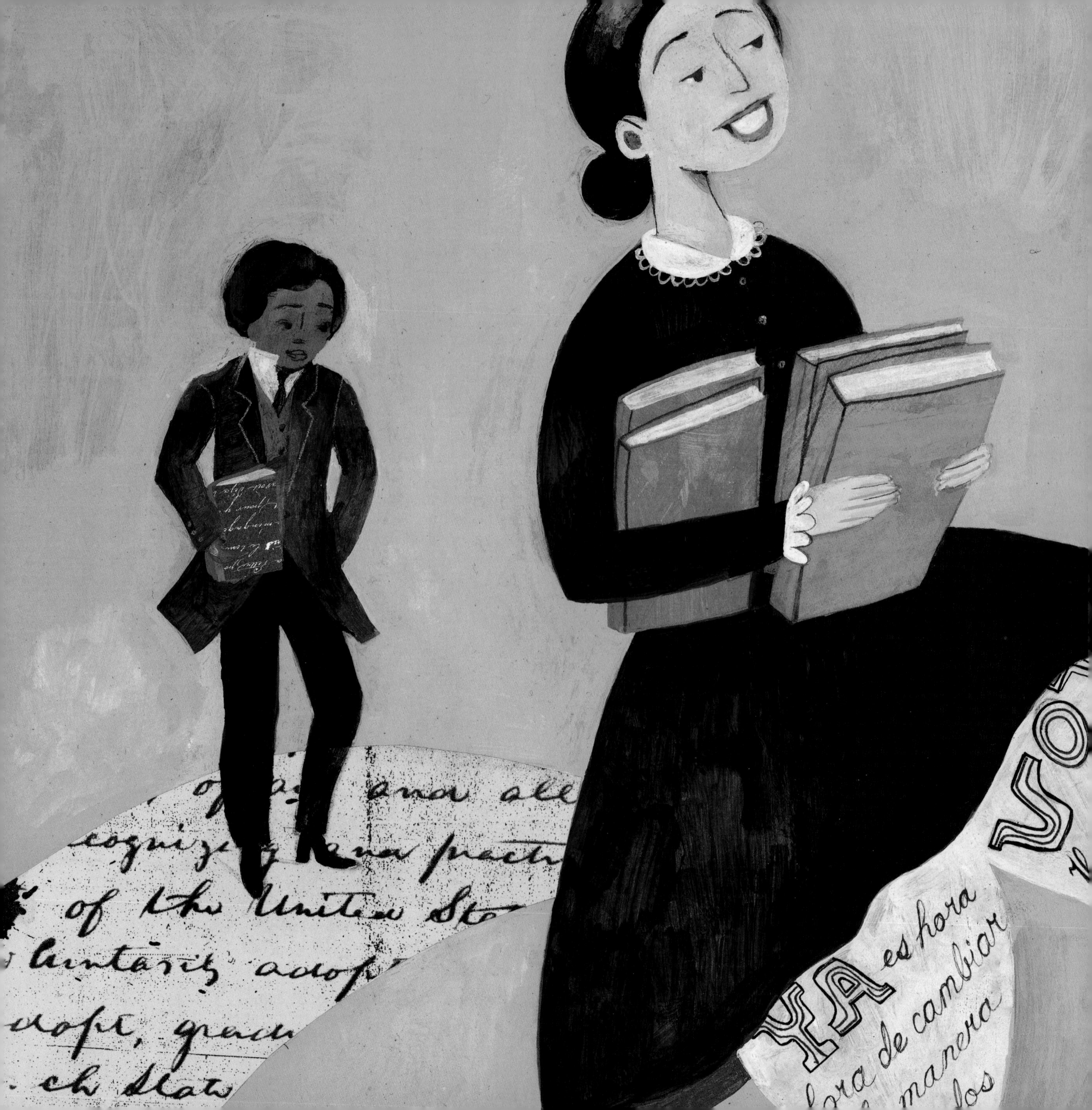

of the
YA es hora
de cambiar
manera
los

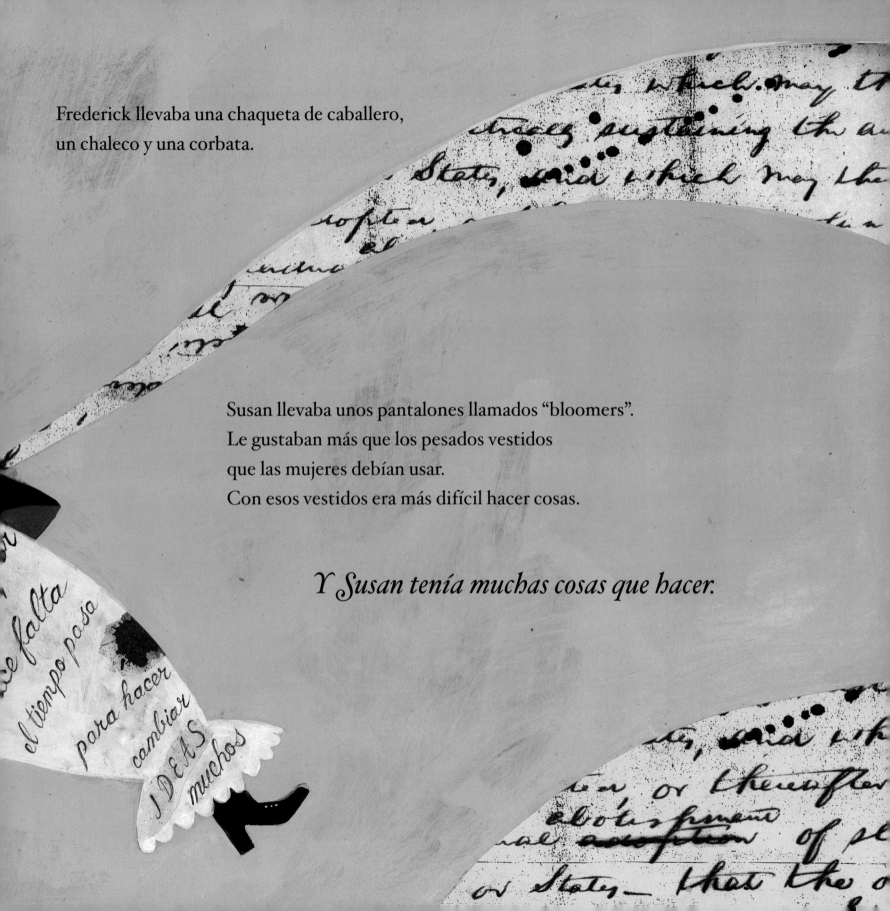

Frederick llevaba una chaqueta de caballero,
un chaleco y una corbata.

Susan llevaba unos pantalones llamados "bloomers".
Le gustaban más que los pesados vestidos
que las mujeres debían usar.
Con esos vestidos era más difícil hacer cosas.

Y Susan tenía muchas cosas que hacer.

De niña, Susan quería aprender lo que aprendían los chicos.

Pero los maestros no se lo permitían.

Las chicas no necesitaban saber sobre temas importantes, decía la gente.
Debían dedicarse a cuidar a los hijos, y eso era todo.

La madre de Susan no podía votar, ni poseer una casa ni ir a la universidad.

Pocas mujeres podían.

Susan quería algo más.
Leyó sobre los derechos en Estados Unidos.

El derecho a la libertad.
El derecho al voto.

Algunas personas tenían derechos, mientras que otras no.

¿No debería ella tenerlos también?

Susan aprendió a dar
discursos.

A algunas personas les gustaron
sus ideas sobre los derechos
para las mujeres.

¡Qué DISPARATE!

A otras, no.

Las velas resplandecían en la sala.
Frederick bebía el té.
Susan le hacía preguntas sobre su
periódico.

Él escribía en el periódico sus ideas
acerca de los derechos.

—¡Todo el mundo está hablando
del último número! —dijo él.

Frederick nació esclavo en el Sur.
Los esclavos tenían que hacer todo lo que su amo
les ordenara, pero Frederick quería algo más.
En secreto, aprendió a leer y a escribir.

Le encantaban las ideas nuevas.

7

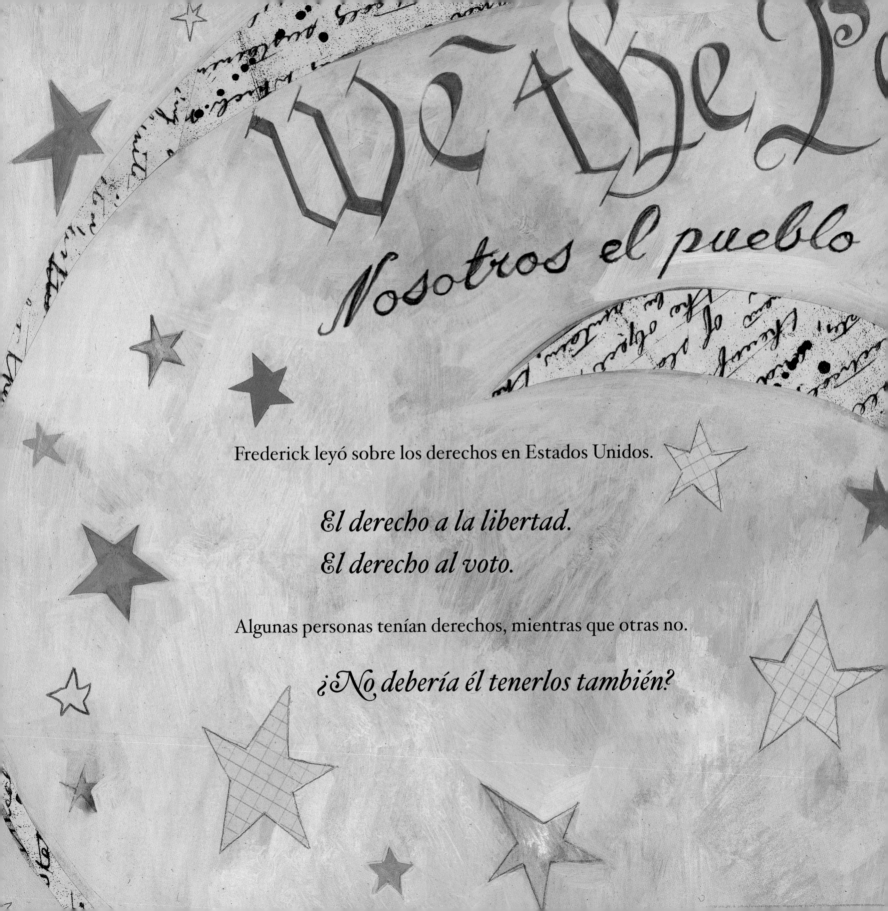

We The P...

Nosotros el pueblo

Frederick leyó sobre los derechos en Estados Unidos.

El derecho a la libertad.
El derecho al voto.

Algunas personas tenían derechos, mientras que otras no.

¿No debería él tenerlos también?

Frederick se escapó de su amo y se dirigió al norte.

Aprendió a dar discursos.

A algunas personas les gustaron sus ideas sobre los derechos
para los afroamericanos.

A otras, no.

recognizing
practically
of the
States, and which may
or thereafter

A Susan le gustaban las ideas de Frederick, y a él le gustaban las de ella.

Él se mudó a Rochester y se puso en contacto con ella.

Prometieron ayudarse para que un día todas
las personas pudieran tener derechos.

El fuego crepitaba.
La nieve caía afuera.

Frederick y Susan comían pastel

y hablaban sobre sus planes.

Tantos discursos que dar.
Tantos artículos que escribir.

Tantas mentes que cambiar.

Enseguida se pondrían a trabajar.

En cuanto terminaran el té.

Nota del autor

Este libro imagina cómo fue el encuentro entre
Frederick Douglass y Susan B. Anthony en la casa
de Susan para hablar sobre sus ideas. Los dos
se hicieron amigos en Rochester, Nueva York,
a mediados del siglo XIX. En esa época, la
esclavitud era legal en los Estados Unidos, y
también lo era la discriminación contra las
mujeres. Anthony luchó por los derechos de
las mujeres y Douglass por los derechos de
los afroamericanos. Se convirtieron en dos de
nuestros más grandes defensores de la libertad.

Anthony y Douglass se rebelaron contra leyes
injustas. Douglass escapó de la esclavitud y albergó
a otros esclavos fugitivos en su casa, como parte del
"Ferrocarril Subterráneo". Anthony votó en la elección
de 1872, aunque sabía que la policía la iba a arrestar por eso.

Ambos hablaron valientemente en favor de la causa del otro,
haciendo juntos apariciones públicas durante toda su vida. Nunca
dejaron de luchar, y nunca dudaron que la victoria llegaría.

"El fracaso es imposible", dijo Susan.

Anthony y Douglass ganaron sus batallas. Estados Unidos abolió la esclavitud en 1865 y les
dio a las mujeres el derecho al voto en 1920.

Hoy en día, en Rochester, donde ellos vivían, una estatua muestra a los dos amigos bebiendo té.

Bibliografía

Barry, Kathleen. *Susan B. Anthony: A Biography of a Singular Feminist.* Bloomington, Indiana: First Books Library, 2000.

Davis, David Brion. *Inhuman Bondage: The Rise and Fall of Slavery in the New World.* New York: Oxford University Press, 2006.

Douglass, Frederick. *My Bondage and My Freedom.* Editado por John David Smith. New York: Penguin Classics, 2003.

Douglass, Frederick. *Narrative of the Life of Frederick Douglass, an American Slave.* New York: Sterling Publishing Company, 2003.

McFeely, William S. *Frederick Douglass.* New York: W.W. Norton & Company, 1991.

Sherr, Lynn. *Failure Is Impossible: Susan B. Anthony in Her Own Words.* New York: Times Books, 1996.

Ward, Geoffrey C., and Ken Burns. *Not for Ourselves Alone: The Story of Elizabeth Cady Stanton and Susan B. Anthony.* New York: Knopf, 1999.

Susan B. Anthony (1820–1906)

Frederick Douglass (1818–1895)